MERLÍN TE REVELA EL PODER MÁGICO DE LOS SIGILOS

**¡ CONSIGUE QUE SE CUMPLA TU DESEO
FABRICANDO TU PROPIO SELLO DE PODER !**

ALBERTO LAJAS
(ARHAYUDATH)

Índice

Capítulo 1

Palabras de Merlín para el lector.

Querido amigo, amiga, mi nombre es Marelim, o como todos me conocen, Merlín. No entraré en si de verdad existí o soy un mito, pero lo cierto que hoy te estoy hablando a ti, y lo estoy haciendo porque así lo decidiste tu. Si, por el poder de la magia llegaste a este libro, y lo hiciste porque tu ser Divino, tu Yo interno, tu Akash o esencia pura, la que creó Dios al principio, te trajo hasta aquí.

Seguro que estás pasando una situación de gran bloqueo, ya que si no seria así, no estarías aquí. Es posible que estés en ruina económica, o quizás tu pareja te haya abandonado, o es posible que estés con una gran depresión y estés con vacío existencial.

Sea cual sea tu dolor o problema, hoy tienes la solución en tus manos, ya que Yo, Merlín, vengo a darte una de las mas poderosas herramientas de los magos, y que ha estado oculta por años, el poder de los sigilos. Pero no deseo que te confundas, ya que cuando veas la simplicidad de fabricar tu sigilo de poder, creerás que esto es algo infantil.

No, detrás de la creación del sigilo personal hay un trabajo previo, y otro trabajo posterior a su creación, por ello es importante que leas con atención todas las instrucciones que te voy a dar y las sigas al pie de la letra, ya que de otra manera no funcionará.

El sigilum, sigilio o sello de poder mágico, es una de las maneras que tienes de sacar el poder de creación que Dios te dio. Recuerda que el dijo " hagamos al hombre a nuestra imagen y semejanza", lo cual, en resumen, viene a decir que todo aquello que Dios puede hacer tu también puedes crearlo. La creación de los sellos de poder entra dentro de lo que nosotros los magos llamamos " magia abre caminos". ¿ Pero, que es la magia abre caminos?
En diversas ocasiones en nuestra vida podemos sentir que se nos cierran los caminos, que malas energías no te permiten avanzar, aunque estés dando lo mejor de ti. Esto puede darse en el ámbito personal o profesional pero igual afectara tu estado emocional. Así que no permitas que crezca demasiado ni que pase más tiempo. Este es tu momento para librarte de las malas energías. Por esta razón la magia blanca para abrir caminos es una de las más buscadas. Y querido lector, dentro de la magia blanca abre caminos, la creación de tu sello de poder o sigilo mágico, es una de las   formas mas poderosas para hacer que se destraben tus caminos, y consigas aquello que deseas. Pero antes de comenzar a leer este libro, recuerda la máxima de los magos, : " **hacer todo, siempre para el mejor y mayor beneficio de todos** ". Merlín, tu maestro y mentor.

CAPITULO 2

Lo que crees, lo creas. El poder del pensamiento.

Bien querido amigo, amiga, Yo Merlín, tu maestro, voy a comenzar a enseñarte como realizar tu poderoso sello de poder. Pero como te indiqué antes, primero debes prepararte, comprender conceptos importantes, ya que si solo crees que por dibujar unas letras y símbolos en un papel, ya está tod**o, es que no comprendes como funciona el poder de la magia.**

La magia se basa en siete principios, y dos de ellos son los que deseo que entiendas. Uno, que **TODO ES MENTE**, y dos, **TODO ES VIBRACIÓN**.

Todo es mente. Este principio, querido alumno, parte de la base de que en el Universo existe un sólo Dios, a pesar de las diferencias culturales y religiosas, el Kybalión, "la Biblia de la Metafísica", utiliza la palabra «Todo» para sintetizar la idea de una Presencia Única, una sola Mente y todo lo que existe está comprendido en ella y cada persona es una partícula o pensamiento inmerso en ese gran cuerpo mental.

Todo lo que Dios creó lo hizo en su **Propia Mente,** y por lo tanto el hombre puede crear todo utilizando los materiales del mundo concreto pero cualquiera sea esa creación siempre comenzará en su propia mente.

Todo lo que un individuo cree de sí mismo lo verá reflejado en los demás ya sea positivo o negativo, pues nada es aleatorio en la vida y lo que ocurre siempre estará reflejado en alguna pauta del pensamiento, de ahí que la primera tarea, antes de hacer tu sello de poder, será "controlar tus pensamientos".

Así, querido alumno, no olvides que todo lo que tu piensas son realmente "**creaciones físicas y tangibles**" que el "Universo" se encargará de devolverte. Y querido amigo, amiga, si observas tus pensamientos y tratas de estar con una conducta positiva, te aseguro que podrás conseguir aquello que realmente deseas , junto con la creación de tu sigilo mágico.

Pero querido lector, para hacer un análisis de la poderosa afirmación, "EL TODO es Mente, pues el Universo es mental" es necesario partir siempre de la base de que en el Universo en que vivimos existe un solo Dios y es el mismo para todos, sin importar las diferencias religiosas o culturales, como dije antes.

En el Universo existe una sola Mente y "todo" está comprendido dentro de ella y cada persona es una partícula o pensamiento inmerso en ese "gran cuerpo mental", de esta forma se explican los fenómenos para-psicológicos como las premoniciones o la transmisión de pensamiento, pues querido mago, maga, jamas olvides esta máxima: **todos los seres humanos están conectados por una sola Mente.** Si, has leído bien, **_tu y Dios debéis ser uno_**, y solo cuando eso ocurra, realmente será cuando se empiecen a manifestar los milagros en tu vida. Cuando domine tu vida el ego, y tu espíritu duerma, aparecerán los bloqueos y problemas de todo tipo, jamas lo olvides.

Así, querido alumno, aprendiz de mago, recuerda que según el Principio del mentalismo:"Todo es creado antes con la mente". Por ello cuando vayas a crear tu sigilo mágico, este principio te recordara el acto mental, previo al mágico que estarás haciendo.

Todo lo que llega a tu vida, querido amigo, amiga, es porque previamente tu lo has atraído con tu mente. Así, deseo que sepas que existen personas para las que la vida es extraordinaria, mientras que para otras todo es sufrimiento, lucha y calamidad, problemas, ruinas, infidelidades, etc, pero todo esto solo en el contexto de su manera de pensar, sentir y actuar.

Querido aprendiz de mago, aunque parezca obvio y repetitivo, si piensas en positivo, tendrás una vida positiva, en tanto que si piensas en negativo atraerás a tu vida cosas negativas. Y por ello la importancia de lo que piensas a la hora de crear tu sello mágico, como luego veremos.

Y ahora, querido lector, no deseo que olvides que los pensamientos emiten " su propia vibración", y así debemos ir al segundo principio, " todo es vibración". "Nada está inmóvil, todo se mueve, todo vibra". Según este principio en el Universo en el que vivimos nada es totalmente firme o estable, todo está en constante movimiento y transformación. La vida insta a todos a vivir mejor pero la crisis aparece cuando permaneces rígido e inflexible en una posición.

Quien sufre una fuerte crisis por lo general cambia ya que puede ver el valor de su propia vida, pero existen quienes caen en la inercia y no toman decisiones, es ahí cuando el Universo toma las decisiones por ellos. Según el Principio de la Vibración, y "debemos aprender a prepararnos para los cambios en la vida" porque en el Universo nada se encuentra inmóvil.

Por ello, cuando fabriques tu sello mágico, deberás aplicar estos dos principios, el pensamiento de aquello que deseas que ocurra, viéndolo, sintiéndolo como si ya ha ocurrido, y al hacerlo esos pensamientos y emociones emitirán una vibración, la cual subirá arriba, al Universo, a Dios, y bajará, abajo, y se materializará en algo real. Quizás te parezca obvio y sencillo todo lo que te acabo de decir querido alumno, pero no lo es, es vital para la creación de tu poderoso sigilo mágico.

Capitulo 3

Comienza por saber que es lo que quieres.

Querido aprendiz de mago, maga, en la practica de la magia, las cosas se pueden hacer mal, si no se sigue un protocolo. Por ello, en aquello que parezca sencillo o sin importancia en tu vida, llevado a la magia, si lo es.

Por ello, como estás viendo, hacer un sigilo es mas profundo de lo que te puedas haber imaginado, ya que detrás de su creación como dije al principio, y después, debe haber unos pasos que dar seguros, y por ello, yo Merlín, vine a tu vida, por medio de este libro, a enseñarte como hacerlo, con éxito, para que tu vida cambie.

Así, antes de crear tu sigilo, debes saber que para que tenga el máximo poder, hay cosas que debes hacer, y otras que no debes hacer. La primera cosa que debes hacer, es coger una libreta y bolígrafo, y escribir una lista de el uno al 20, con las cosas que no te gustan de tu vida.

Escribe 20 cosas que no te gustan en tu vida actual

Bien, una vez que has escrito las vente cosas que no te gustan, ahora haz una nueva lista, y escribe de esas veinte cosas, las tres que mas odias, las que mas angustian te provocan, las que no deseas que estén mas en tu vida. ¿ Ya las tienes?

Bien, y por ultimo, de estas tres, escribe la que realmente deseas quitar de tu vida. ¿ Ya lo escribiste?

Pues ahora, haz una nueva lista. Escribe y siente las veinte cosas que desearías tener o que ocurrieran ahora mismo en tu vida. Tomate tu tiempo, no hace falta que corras, a que debes hacerlo bien.

Ahora, pon una puntuación del uno al diez, siendo diez las mas importantes, a esa lista. Ahora, aparta las que tiene diez. Bien, y por ultimo de esas que tienen diez, escoge esa que sabes que cambiara tu vida y la transformará de verdad.

18

Querido aprendiz de mago o maga, con estos ejercicios lo que quiero que entiendas es la diferencia de querer " un capricho" y de " cambiar tu vida", que es el fin de este libro y de la fabricación de tu sigilo poderoso.

Así, querer tener un coche nuevo, o una pc de ultima tecnología, o hacer un viaje por el mundo, son caprichos. Pero lo que realmente debes saber elegir es esa tontucio que al ocurrir realmente transformara tu vida, como por ejemplo, casarte, fundar una ONG de ayuda humanitaria, o crear una vacuna contra el Coronavirus.

Lo cierto, querido aprendiz, es que si miras atrás de tu vida, me darás la razón que muchas decisiones que tomaste, estaban basadas en ego, caprichos, y que solo pensabas en ti. Lo que deseo que entiendas es que el sigilo mas poderoso que puedas fabricar será aquel que ademas de cambiar tu vida, pueda cambiar la de los demás. Por ello te dije al principio de este libro que la creación de tu sello o sigilo mágico debe sustentarse o basarse en la máxima de los magos: " hacer todo para el mejor y mayor beneficio para todos".

Por ello, llegados a este punto, debes volver a revisar tu deseo, y ver si cumple con ese requisito, si realmente ademas de beneficiarte a ti también lo hará a otros. Si no es así, tu sello mágico será pobre, o no funcionará.

Si ya sabes que es lo que deseas, pues ya estas preparad@ para fabricar tu sello mágico.

Capitulo 4

Fabricando tu Sigilo

Bien querido aprendiz de mago, o maga, ya llegó el momento de comenzar con la parte creativa y practica de crear tu sigilo para que se cumpla ese deseo que has elegido en el capitulo anterior.

Bien, lo primero que debes hacer es anotar en una frase corta, clara y lo más específica posible lo que quieres conseguir.

Como te he dicho en los capítulos anteriores, es vital el ser directos y ser específicos, lo cual es importante. No es lo mismo ''Quiero tener dinero'' que ''Quiero conseguir un trabajo para tener dinero''.

Elimina todas las vocales

Bien querido aprendiz, una vez que tengas tu frase corta, de ese deseo que deseas que se cumpla, lo primero que debes hacer es escribir en MAYÚSCULAS TU DESEO, ya que las mayúsculas son la forma de gritar o decir alto y claro lo que deseas.

Ahora debes quitar las vocales de tu frase. Te pondré un ejemplo para que te sea fácil de entender. Si tu frase es :

" deseo crear una Fundación para la paz mundial", al quitar las vocales, quedaría así:

DS CRR N FNDNN PR LPZ MNDL.

Elimina las letras que se repitan

Bien, ahora pasamos a quitar las letras que se repitan, por lo cual quedaría así:

DCRNFPLZML

Revisa bien cada paso, ya que es vital que estén todas las letras.

Paso final, realiza tu sello personal. Para ello debes escoger de tus letras, la que resaltara, da igual cual de ellas elijas, pero debe ser la que tu Divinidad te diga que debe ser. Bien, antes de dibujar tu sello, te aconsejo que primero lo hagas en borrador, ya que es posible que necesites hacer mas de un borrador, o quizás decenas. Lo importante es que sepas que cuando ya esté tu sello definitivo, lo sentirás, vibrarás con el.

Por ello, haz tu dibujo primero con lápiz, y cuando ya lo tengas, busca una cartulina o papel de pergamino, y copia tu sello a lápiz, y luego con distintos colores, para lo que te puedes ayudar de rotuladores. Los colores en magia son importantes, ya que el color es energía vibratoria, y al tener colores tu sello hará que actúe con mas rapidez. Te dejo abajo una foto, dibujado por mi, un ejemplo de como podría ser el sello, según la frase de arriba, DCRNFPLZML.

Bien querido aprendiz de mago o maga, como puedes ver en el dibujo que yo hice, aunque te cueste encontrarlas, las letras que componen nuestro ejemplo, DCRNFPLZML, está ahí.

Y esa es la clave, que solo tu pueda saber que están ahí. Por ello debes sacar el máximo de tu creatividad, y cuando vayas a dibujar tu sello, haz que tu poder Divino te guie, y te diga que letra será la dominante, como deben ir colocadas las letras, con que colores debes pintarlas, si deseas añadir algún símbolo al lado o en medio, como símbolos rúnicos o astrologicos, etc.

Como ves en mi dibujo de ejemplo metí las letras dentro de una pirámide, ya que así le da mas poder aun. Pero deseo que sepas, querido aprendiz, que debes meter tus letras en una pirámide, en un cuadrado, en un cubo, en circulo, o puedes añadir todos ellos, ya que estas geometrías darán, como digo mas poder a tu sello.

Bien, ya tienes tu sello, y ya vibra con fuerza, `pero te preguntarás, ¿ y ahora que paso debo dar?

Pues querido aprendiz, ahora debes conectar tu energía con la de tu recién creado sello mágico. Para ello, coge tu sello, ponlo en un sitio fijo, a una distancia de unos 15 a 30 centímetros. Frota tus manos con energía, hasta que te quemen, ya que al hacer esto estarás activando los puntos energéticos que tenemos en las manos, y que activan el Ki o energía vital. Ahora, cierra los ojos, coge mucho aire por la nariz, y expulsalo muy lentamente por la boca Repite estas respiraciones siete veces.

Una vez que hayas terminado, abre tus ojos y mira fijamente a tu sello mágico, sin parpadear. Siente su energía, siente su mensaje. A la vez que los miras, recita en voz alta el mantra de los mantras, el OM, el cual se dice que fue el primer sonido que hubo en el Universo, Trata de decir unas cinco **O** y da fuerza a la **M**, algo así: Oooommmmmmmmmmmmmmmmmmmmmmmmmmmmmmmmmmmmmmmmmmmmmmmm. Trata de recitar este mantra mirando el sello unos cinco minutos.

Ahora, cierra los ojos, y trata de ver tu sello en tu mente, y a la vez que lo haces debes ver ese deseo que has pedido, como si fuera una película que se está proyectando en el cine, y al hacerlo debes sentir la emoción con fuerza y fe de que eso que estas viendo ya se cumplió. Este es la primera y ultima vez que verás a tu sello, ya que ahora debes meterlo en un saquito especial. Si, debes buscar o mejor si puedes, construir un saquito mágico, de tela, de   terciopelo seda, de un color que te haga vibrar. Una vez que tengas el saquito, pon tu sello con amor, dentro de él. Ahora, tu sello esta listo para ser consagrado y activado.

Capitulo 5

Bien querido aprendiz de mago, maga, ahora que tienes tu sigilo, debes consagrarlo y activarlo en tu altar. Para ello debes crear un altar, el cual simboliza el sitio sagrado donde vive Dios. Es decir, al ponerte delante del altar es como si te pusieras delante de Dios. Por ello, para activar tu sello mágico, primero debes entender que es el altar, y crear tu propio altar de forma adecuada.

Dado que para que tu sello mágico se active es necesario hacerlo en el altar, el altar, como digo, debe ser adecuado, por ello es imprescindible el enseñarte a hacer un altar apto, ya que al ser, como te dije, la representación del lugar donde vive Dios, el tener un altar inadecuado, ademas de ser una falta a Dios, ocurrirá que tu sello no estará activo.

Dónde colocar el Altar

Querido aprendiz de mago, maga, puedes armar tu altar en el interior o al aire libre, dependiendo de tus preferencias, el clima y el tipo de hechizos que vas a hacer. Pero es recomendable tener un espacio dentro de tu hogar dedicado únicamente a tus rituales y ceremonias, pero si no cuentas con mucho espacio puedes prepararlo en un rincón de tu habitación, o tenerlo guardado en un ropero donde puedas sacarlo para cada ocasión.

Algunos hechizos requieren que el altar esté junto a una ventana en la luna llena, por lo que es una buena idea tener un altar temporal que puedas montar y desmontar.

Asegúrate de que el área esté libre de desorden y suciedad. Tener un espacio limpio te ayudará a concentrarte en tu hechizo.

Personaliza tu Altar

Antes de poner los elementos del altar, debes hacer estas acciones:

1.Limpia toda la habitación donde estará tu altar. Puedes usar un ritual de limpieza del hogar o simplemente disuelve sal marina y/o vinagre de manzana, en agua y pasa un paño limpio por las paredes, el techo y el piso.

2- Usa una madera o un mueble donde deberás poner un mantel o sabana blanca, **jamas negra,** ya que el blanco representa la pureza de Dios.

3- Los elementos que debe tener como mínimo un altar deben de ser los siguientes: una copa de agua, (elemento agua), un recipiente con tierra, (elemento tierra), una vela blanca, (elemento fuego), y un incienso encendido o palo Santo, (elemento aire).

Una vez que tengas tu altar, pasa el incienso o mejor palo Santo por toda la habitación, por encima de el altar y por todo tu cuerpo, y vuelve a poner el palo Santo en el altar. Trata de estar en silencio, de rodillas delante de el atar, y después di:

" Padre amado, Dios bendito de luz, YO SOY EL QUE SOY, Tetragramaton, Alfa y Omega, principio y fin, ante ti, con respeto y amor hoy me muestro para pedirte que bendigas este altar, el cual desde hoy trataré con el respeto y amor al entender que tu estarás en el , aquí, en mi vida, dándome luz, amor y protección. Así es, amen. !

Ahora, y después de estar con los ojos cerrados, sintiendo el Espíritu Santo, debes coger tu saquito con tu sello, debes ponerlo entre tus manos, acercarlo a la vela blanca, y decir en voz alta:

" Amado Padre, Dios de luz amor, en este día, (fecha), Yo, (di tu nombre y apellidos), te suplico que llenes con tu Espíritu Santo este sello sagrado que acabo de realizar y que tiene como fin el que se cumpla lo que en el pido, sabiendo siempre que es para el mejor y mayor beneficio de todos. Amen. "

Ahora, ya tienes activo y consagrado tu sigilo mágico. Para finalizar, coge la bolsista con tu sigilo, ponlo en tus manos, como si fueras a rezar, y siente la energía que acaba de entrar en el por medio de Dios y Su Espirita Santo.

Esto que acabas de hacer, lo debes hacer todos los idas hasta que se cumpla lo que pediste. Es decir, cada día, unos minutos, debes coger el saquito con tu sigilo, ponerlo entre tu manos, como si fueras a rezar, y sentir su energía, y visualizar como ese deseo que has pedido ya se cumplió.

Lo primero que debes saber es que el deseo ahora está en manos de Dios, el Espíritu Santo y los Santos ángeles y arcángeles, por ello sera Dios, en su tiempo y manera el que hará que esto que pides, si lo has hecho siempre pensando en " que sea para el mayor y mejor beneficio para todos", ocurra.

Pero debes saber, querido aprendiz de mago y maga, que si vas con expectativas, como poniendo una fecha y si no ocurre es que esto no funciona...en verdad no funcionara. Jesus, el maestro, cuando estuvo en la tierra dijo que " si tienen la fe del tamaño de una semilla de mostaza, podrán hasta hacer que se muevan las montañas", y esa fe, querido aprendiz, incluye que tengas la paciencia de que Dios resuelva las cosas en su tiempo y a su manera. Si así lo haces, te aseguro que te quedaras con la boca abierta, y hasta es posible que recibas mas de lo que pediste, pero recuerda, la clave para que funcione tu sigilo mágico: la fe.

Bien querido aprendiz, de seguro que ahora te estén surgiendo muchas preguntas y dudas referentes a tu sello mágico, por ello paso a responder las preguntas mas frecuentes.

¿ Donde debo de dejar mi bolsita con mi sello mágico?

Tu sigilo mágico, para que no se desactive, siempre debe de estar contigo, o en su defecto en tu altar, y jamas nadie debe tocarlo, y menos abrirlo y mirarlo, ya que quedaría inactivo.

¿ Que debo de hacer cuando se cumpla mi deseo?

Una vez que se cumpla tu deseo, debes sacar tu sello de la bolsita, coger un recipiente adecuado y quemar en el tu sello. Ahora coge las cenizas y echalas en el agua que tengas en la copa de tu altar. Con los ojos cerrados da gracias a Dios por haberte escuchado. Tira el agua y pon una copa limpia con agua.

¿ Puedo hacer un pedido para otra persona?

No, pues esta herramienta mágica es personal, en la que la magia trabaja desde que el individuo comienza a trabajar pensando y realizando con sus propias manos su futuro sello mágico. Lo que si debes hacer, como sabes, es incluir en tu deseo a la gente que amas, ya que la base como sabes debe de ser " hacer todo para el mejor y mayor beneficio de todos".

¿ Que cosas no debo pedir?

Jamas se debe pedir cosas que dañen a otros. Así, deseos de venganza, o deseos de quitar el esposo o esposa a otra persona o cosas similares, no solo no harán que funcione el sigilo, sino que se creara una energía demoníaca maligna que atraerá cosas negativas a quien esta deseando ese mal.

¿ Cuantos deseos puedo pedir a la vez?

Solo se debe pedir un deseo cada vez, ya que si pides muchas cosas esa energía será débil, y tu mente se dispersará, ya que como sabes debes visualizar tu deseo cada dia sujetando tu bolsita con tu sello mágico. Es complejo poder visualizar muchos deseos. Pero cuando se cumpla tu deseo podrás pedir otro, siguiendo siempre las instrucciones que te he mostrado arriba.

¿ Si no creo en Dios ni en los ángeles, funcionara?

Si, funcionará, ya que Dios ama a sus criaturas por igual, al margen de que crean en El o no. De hecho el que Dios te conceda lo que pides, aun siendo ateo, quizás haga que tu fe en El se reactive.

¿Importa el día y la hora que active mi sello mágico?

Si, en magia es importante el día y hora en el que se haga un ritual, si hay luna llena o no, ya que la influencia de los astros es vital para el resultado del mismo. Por ello, siempre que se pueda se hará el Domingo, a las 12 del mediodía. Si no es posible este día, puedes hacerlo cuando desees, pero siempre tratando de no hacerlo por la noche, mas allá de las 12 de la madrugada.

¿ Puedo tatuarme mi sigilo o hacer un colgante con el?

Es verdad que hay personas que se tatúan sus sigilos en su cuerpo, pero yo no lo aconsejo, ya que una vez que se cumple tu deseo debes quemar el sello, como símbolo de agradecimiento, y al llevarlo tatuado esto no será posible. Lo mismo ocurre si realizas un colgante de plata u otro metal. Se debe hacer tal cual te lo explique.

Regalo de mi talismán del poder para ti

Querido aprendiz, ahora deseo hacerte un regalo muy especial y poderoso, mi TALISMÁN DEL PODER. Deseo que sepas que sepas que este talismán ha sido creado solo para ti, y por tanto no lo encontraras en ningún lado, lo cual lo hace aun mas poderoso.

Este talismán lo puedes llevar siempre contigo, y te aseguro que te protegerá contra todo mal, mal de ojo, magia negra, vu-dú o cualquier persona maligna o demonio.

Lo primero, debes imprimirlo en color y plastificarlo, a un tamaño suficiente para que lo puedas meter en tu billetera o lle-varlo siempre contigo. Para activarlo, haz los mismos paso que para activar tu sigilo. Ve a tu altar, coge mi talismán del poder, miralo fijamente sin parpadear, sintiendo su energía, y ahora ponlo entre tus manos, como si rezaras.

33

Ahora, di en voz alta:

" Padre Santo, Dios Todopoderoso, Alfa y Omega, principio y fin, en este día, (día y hora), yo, (di tu nombre y apellidos), te pido que llenes de tu Espíritu Santo este símbolo, para que siempre me proteja del mal, y para que siempre me lleve a la luz y a la verdad. Amen. "

Nadie debe ver el talismán del poder, ni tocarlo, y si eso ocurriera debes volver a tu altar, pasar el palo Santo o incienso por encima y debajo del talismán y volver a recitar la oración de arriba.

Si por el su tu talismán se arruga o rompe, debes guardarlo en una cajita o bolsa, y volver a imprimirlo y plastificarlo y hacer todo el protocolo dicho arriba.

Queda prohibido vender el talismán, ya que lo cree para ti. Si lo vendes o comercial con el, deseo que sepas que quedará inactivo. Puedes regalar este libro, y debes saber a quien lo regalas, ya que es tu responsabilidad si se lo das a una persona que quiera hacer el mal o comerciar con este libro y con mi talisman del poder.

En la próxima pagina tienes mi talismán para imprimirlo, pero si por alguna causa no puedes hacerlo, pide a mi canal, Alberto Lajas, (Arhayudath), que te lo envíe por email: albertolajas@gmail.com . Mi paz y bendición. Merlín.

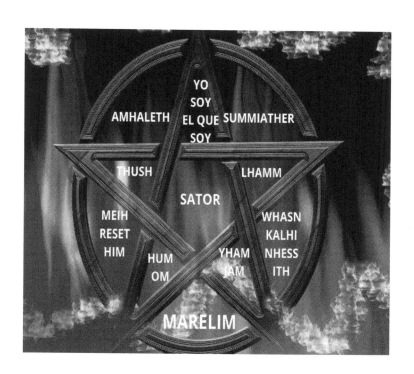

35

Made in the USA
Las Vegas, NV
18 August 2024